PLATE 69

ERWARTON. c. 1450. (p. 38)

PLATE 70

CAMBRIDGE. c. 1510. (p. 38)

PLATE 75

ELY. c. 1340. (p. 41)

PLATE 76

LINCOLN. *c.* 1300. (p. 41)

PLATE 77

EXETER. *c.* 1330. (p. 41)

PLATE 78

PATRINGTON. c. 1370. (p. 41)

PLATE 79

ALDENHAM. c. 1410. (pp. 36, 41, 42, 50)

PLATE 80

ST ALBANS. c. 1520. (p. 42)

PLATE 81

ELY. c. 1500. (P. 43)

PLATE 82

NORTH CERNEY. *c.* 1500. (p. 43)

PLATE 83

OXFORD. c. 1500. (p. 43)

PLATE 84

OXFORD. *c.* 1500. (pp. 43, 54)

PLATE 95

KING'S LYNN. c. 1300. (pp. 36, 41, 42, 43, 50)

PLATE 96

KING'S LYNN. *c.* 1300. (p. 50)

PLATE 105

SOHAM. c. 1240. (p. 53)

PLATE 106

ST CROSS. *c.* 1240. (p. 53)

PLATE 107

DUNSTABLE. *c.* 1240. (p. 53)

PLATE 108

WELLS. *c.* 1230. (p. 53)

PLATE 109

LEOMINSTER. *c.* 1330. (p. 53)

PLATE 110

EXETER. c. 1320. (p. 53)

PLATE III

TEWKESBURY. *c.* 1320. (pp. 40, 54)

PLATE 112

PURSE CAUNDLE, *c.* 1500, (p. 54)

PRINTED
BY

WALTER LEWIS, M.A.

AT
THE CAMBRIDGE
UNIVERSITY
PRESS